별의 도서관

신으로서 당신을 찾기 위한 에세이

작가 파랑

나는 마흔 살이 넘은 지금도,

어린 왕자가 되고 싶다고 생각한답니다.

별과 별을 여행하는 여행자가 되고 싶다고 생각하며

꿈을 꾸는 눈으로 세상을 바라보는 것이 즐겁습니다.

내게는 아직 찾아야 하는 별의 조각들이 있고

언젠가는 완성된 나의 별을 보겠지요.

내가 찍어온 인생의 점들이 이제 하나의 선이 되어

글이 되었습니다.

✦ 별의 도서관 ✦

종교와 영혼에 대한 새로운 작가의 시선을 따라가며
스스로 질문해보는 영적 메시지

파랑 지음

CONTENTS

프
롤
로
그

영혼을 위한 책은 없을까?

한 사람의 인생에서 가장 중요한 것은 인간 영혼 본연의 성질을 이해하는 것이며, 자신의 존재를 자각하고 이를 이루기 위해 사는 것이 아닐까? 수많은 에세이와 자기개발서를 읽으면서도 채울 수 없는 단 한 가지,

나의 본질을 이해하는 것

내 인생을 바꿔준 책들을 보면 『영혼을 위한 닭고기 수프』, 『빵장수 야곱』과 같은 책들이었다. 그런데 우리나라에서는 그런 책들이 별로 없는 것 같아 늘 아쉬웠다. 영혼을 탐구하는 일이야말로 인간에게 부여된 가장 숭고한 사명인 것을.

신병을 앓으셨던 외할머니,

60세가 넘어 목사가 된 엄마,

스님들 책을 좋아하는 나.

결코 평범하다고 할 수 없는 환경에서 자라 독특한 나만의 시각으로 종교와 영혼, 인생을 바라보며 나의 아이들과 잔디밭에 옹기종기 앉아 도란도란 이야기했던 이야기들을 책으로 엮었다.

　불교에서 말하길 모든 만남에는 연이 있고, 그 이유가 있다고 한다. 여러분이 지금 이 책을 읽게 된 것도 오래전부터 계획된 연으로 이루어진 것이며 우리 영혼은 오래전부터 만나길 고대했을지 모른다.

누군가는 말했다. 글을 쓴다는 것은 꿈을 이루는 것이 아닌 운명에 다가가는 것이라고.

내가 찾은 내 영혼의 조각들이 많은 사람에게 영감이 되고 그 조각들을 모아 나로서 완전해지는 기적이 당신에게도 일어나기를.

보동보동한 나의 마음을 당신에게 전해본다.

항상 지구를 떠나고 싶어 하는

나의 인디고 아이들과

나의 첫 독자인 윤희와 진이,

항상 응원해 주는 지빈이

그리고 인연이 되어 이 책을 읽어준

소중한 모든 이들에게

사랑과 감사를 드린다.

별의 길이 열리네

별의 길이 열리네

당신이 하늘에 찍어온 인생의 점들이

이제 하나의 선으로 연결될 시간

우리는 별로 태어나 누군가의 길잡이가 되기도 하고

홀로 외로이 빛나기도 했다네

언젠가 당신의 별들이

하나의 은하수가 되어 그 길이 열리게 된다면

알게 될 거예요

당신이 별이었음을.

1부

신 אלוהים

내가 유명하지 않다고 해서
내 인생이 아름답지 않은 건 아니잖아?

출가본능

내가 좋아하는 법정 스님의 책 『스스로 행복하라』에서 사람들은 가끔 집을 나가고 싶은 충동을 느낀다고 한다.

일명 '출가본능'

사람은 자신을 둘러싼 틀을 벗어나 진정한 나를 마주 보기 위해, 또는 진정한 삶이 무엇인가를 찾기 위해 출가를 한다고 한다.

나의 출가본능은 21살 대학교 2학년을 마치고 찾아왔
다. 고등학교 졸업 후 한 번도 쉬지 않았던 아르바이트
를 그만두고 도서관에 틀어박혀 하루 종일 책만 읽었다.

엄마의 끊임없는 잔소리와 구박에도 성장기 아이가
손에 잡히는 모든 음식을 먹어치우려 하는 것처럼 에세
이, 역사, 철학, 사회학, 무협 소설, 시집, 과학 잡지, 그림
책 등 가리지 않고 대략 2,000권의 책을 읽어댔고 그때
의 글들이 오늘의 나를 있게 했다.

세상의 모든 시선과 기준들에서 벗어나 나만의 사색과 수양을 했던 보석과도 같은 시간. 인생의 공허함에 방황하며 삶의 의미를 찾기 위해 끊임없이 여행을 떠났던 나의 '출가' 시절.

출가는 "떠남이 아닌 돌아옴"이라는 스님의 말씀처럼

나는 또다시 돌아가려 한다.

반
역
자

　불혹이 된 올해 나는 직장을 그만두고 여행을 다니며 책을 쓰기 시작했다. 어쩌면 나는 내 인생에 가장 큰 반란을 일으킨 것인지 모른다. 항상 생계와 노후 준비를 최우선으로 생각하며 살아온 내 삶의 시스템에 대한 인생 최초의 반란이라고나 할까?

　약속된 성공도, 타인의 인정도 없지만 나는 내 삶의 반역자가 되기로 했다. 나는 운명적으로 그 선택을 해야만 했다.

내가 유명하지 않다고 해서

내 인생이 아름답지 않은 건 아니잖아?

직장을 그만두고 무작정 글을 쓰는 요즘 햇살이 항상
나를 따라다니는 듯한 날들과 수호천사가 천 번의 YES
를 말해주는 것 같은 기쁨이 봄날의 벚꽃처럼 황홀하다.

그런 때가 있다. 사람들이 다 날 거부하는 때 말이다.

충분히 환영받지 못한 선택이라 할지라도

바퀴가 한번 관성이 생기면 계속 굴러가듯이

내 인생의 봄날은 바로 오늘이다.

고린도 후서 6:9
무명한 자 같으나 유명한 자요
죽은 자 같으나 보라 우리가 살고

길(Road)

나는 아직도 내가 처음으로 기독교에서 말하는 은사인 방언했을 때를 기억한다. 27살이었던 해의 어느 날 가족들과 밥을 먹다 갑자기 아바타에 나오는 나비족 어 같은 말이 나오는데 처음에는 무척 신기하면서도 나 자신이 특별하게 느껴졌던 것 같다.

방언을 통역하는 통변도 가능했고, 특히 성경에 선지자들이 많이 보았다던 이상들도 자주 보게 되었다. 이상이나 환상을 볼 때는 깨어있지도 잠들지도 않은 것 같은 상태가 되는데 꼭 술에 취해 보는 듯 황홀하지만, 모든 것이 선명하다.

꿈과 다른 점이 있다면 기억이 흐리지 않고 본 모든 것이 뇌에 새겨진 듯 온전하게 기억한다는 것이다.

신이 아브라함에게 약속했던 하늘의 수많은 별과 오로라 속에서 춤추는 별들을 보며 알 수 없는 그리움을 느끼기도 하고, 하늘의 별들이 운석처럼 땅으로 수없이 떨어지는 이상을 볼 때는 마음 깊은 곳에서 올라 온 공포심에 덜덜 떨기도 했다. 아마 기독교를 믿는 많은 사람 중 이러한 체험을 통해 신앙을 하는 경우가 많은데 나 또한 그러했다.

하지만 그 일이 있고 십 년이 훌쩍 지난 지금 나는 남들과는 조금 다른 길을 선택하기로 했다. 교회나 절이 아닌 내 영혼의 길을 스스로 찾아 나서기로 한 것이다.

충분히 환영받지 못한 선택이라 할지라도

나의 선택을 옳은 선택으로 만들어 가는 것은

그 뒤에 오는 나의 시간임을 알기에

나는 나만의 길을 찾기로 했다.

요즘 전 세계에 걸쳐 기업 등에서 유행하고 있는 명상이나 인문학 열풍은 영혼 세계가 주는 영감을 통해 영혼을 재구성하기 위한 영혼을 가진 존재들이 가지는 본능이다. 특별하게 선택받은 사람이나 종교인만이 누릴 수 있는 특권이 아니라는 것이다.

하지만 우리의 영적 성장은 기존의 성인이나 종교에서 말하는 모습에 멈추어 있다. 수천 년 동안 영적인 성장을 단 한 번도 한 적이 없다는 말이다. 예수가 살았던 2,000년 전이나 지금이나 종교는 달라진 것이 없다는 걸 우리는 이미 잘 알고 있지 않은가? 예수는 이 땅을 떠나갈 때 제자들에게 이런 말을 남긴다.

"너희는 나보다

더 큰 일을 할 수 있다."

   예수는 우리에게 앞으로 나아가길 조언했지만, 우리
는 여전히 그대로다. 불교 경전과 성경에는 '귀 있는 자
는 들어라.' 하는 구절이 여러 번 반복된다. 영혼의 길은
듣고자 하는 귀에만 열리기 때문이다.

인류의 가장 큰 재앙은 영적 미성숙이다.

참된 신은 모두를 심판하는 자가 아닌

영혼의 소리를 듣고자 하는 모두를 신으로서

자각시키려 하는 존재임을

이제 우리는 깨달아야 하지 않을까?

신
의
마
음

나는 모태 신앙이었지만 제대로 신앙을 한 것은 은사 체험을 한 20대 후반부터였다. 그때의 나를 생각해 보면 참 열심이었다는 생각이 든다. 하루에 한 번은 꼭 교회에 들러 기도하고, 주일에는 찬양대도 하면서 신앙의 열정을 불태웠으니 말이다.

누구나 열정적인 신앙을 하게 되면 신에게 바라는 많은 것이 생기기 마련이다. 남과는 다른 절제의 삶을 산다는 것이 아이러니하게도 특별한 보상을 원하게 되는 기복신앙으로 귀결되기 때문이다. 사람들은 좋은 배우자감이나 직장을 얻기 위해 또는 마음의 평안을 위해 기도한다고 한다. 내가 알고 지냈던 교회 언니는 배우자의 성까지도 적어서 매일 기도했었다.

그런데 나는 신을 만나면 꼭 물어보고 싶은 것이 하나 있었다. 그래서 항상 이렇게 기도했었다.

"당신의 뜻이

진짜 뭔가요?"

나는 이 답을 얻기 위해 한 달을 꼬박 하루에 7시간씩 기도를 했고, 다니엘이 오랜 기도의 응답을 받았듯 나 또한 한 달이 되어갈 때쯤 성경에서 말하는 영적 감동을 받았다. 신의 마음과 동일시되는 그 경험은 지금까지도 내가 가장 사랑하는 순간이다. 그리고 그때 내가 감동한 신의 마음은 이러했다.

딤전 2:4 하나님은 모든 사람이 구원을 받으며,

진리를 아는데 이르기를 원하노라.

신의 마음을 가진 자는 먹지 않아도 배부를 만큼

모든 존재를 사랑한다는 것을,

믿는 자던, 믿지 않는 자던

신에게는 소중한 존재임을….

신의 마음을 나는 이미 안다.

종이 위에 잉크 대신
무지개를 담고
빛을 쓰라고.
자유로운 영혼들을 위한
빛을 쓰라고 말이다.

천장이 우주로 연결된 도서관

　내가 지금까지 본 수많은 이상과 환상 그리고 꿈 중에서 가장 기억에 남는 것을 고르라고 한다면 아마도 천장이 우주로 연결된 도서관이라 할 수 있다.

　성경적 이상에서 가장 많이 나오는 것이 바로 폭풍인데 선지자 에스겔이나 이사야도 폭풍 속에서 많은 이상을 보았다. 쉴 새 없이 번개가 치는 거대한 폭풍이 지나간 후 천장이 우주로 연결된 도서관이 내려왔다.

피부에 돋아난 솜털 하나하나 전기가 흐르는 듯한 묘한 감각과 인간의 청각에서는 감지할 수 없는 주파수의 소리가 들리는 것처럼 귀를 먹먹하게 자극했다.

그때 누군가

"가장 위대한 도서관이 이곳에 왔다."

라고 속삭였고 무엇으로도 규정하거나 말로 표현할 수 없는 감정이 솟구쳤다.

그때는 무슨 의미인지 알 수 없었고 늘 보아왔던 것들이라 대수롭지 않게 넘어갔지만, 지금에 와서 생각해 보면 내 영혼에 주어진 임무가 아니었을까 짐작해 본다.

종이 위에 잉크 대신 무지개를 담고 빛을 쓰라고.

자유한 영혼들을 위한 빛을 쓰라고 말이다.

지금도 세속적인 것을 절제하고 명상하면 예전에 보았던 것들을 다시 볼 수도 있지만 일부러 시도하지는 않는다. 이러한 경험은 일종의 마약과 같아서 어떤 때에는 현실과의 괴리감으로 인해 나를 고독하게 하기 때문이다.

　　영안이 열리고 영의 눈이 보인다는 건

　　이 무한한 우주에 홀로 덩그러니 버려진

　　존재임을 깨닫는 것이기도 하니까

우리는 모두 신으로 태어났다

요10:34 예수께서 가라사대 너희 율법에 기록한바

내가 너희를 신이라 하였노라.

  내 어머니의 직업은 목사시다. 그런데 아이러니하게
도 딸인 나는 스님들의 책을 읽는 것을 더 좋아한다. 어
렸을 때부터 신과 관련된 많은 것들을 보고 자란 내가
종교에 대해 다양하고 독특한 시각을 가지게 된 건 어쩌
면 당연한 일인지도 모르겠다.

모태 신앙으로 오랫동안 교회를 다니며 나는 신앙 세계에서 일어나는 선한 일들과 악한 일들을 대부분 경험했고 종교가 무엇인지를 오래도록 고민했다. 전 재산을 기도원에 바치는 어머니를 보기도 하고 기독교에서 말하는 은사를 체험하기도 했다.

　　하지만 내가 결국 내린 결론은 하나,

　　우리는 모두 신으로 태어났다.

내가 깨달은 유일한 진리.

사람이 인생이라는 길을 걸으며 지식을 탐구하고 사랑하고 죽어가는 모든 과정이 사실은 잃어버린 신의 기억을 찾는 과정이 아닐까?

조각난 기억을 모아 신으로서 존재를 자각하라고.

어느 고대 철학자가 쓴 책에서 말하길 "사랑이란 원래는 하나였던 잃어버린 영혼의 조각을 찾는 것"이라고 했다.

당신은 어떤 신인가?

우리는 왜 영원히 살 것처럼 고독한가?

우리는 모두 신으로 태어났다.

그러니 종으로 살지 말고 신으로서

이제 당신 영혼의 임무를 기억하라.

메
시
아

섬기러 왔다 했지만, 사람들은 그를 섬겼고

신과 동일시 함을 민망히 여겼지만,

사람들은 그를 신이라 불렀다.

자신으로 인해 나뉘지 말라 했지만,

그들은 나뉘어 이천년을 싸웠으며

그의 말을 듣지 않으면서 그를 메시아라 불렀다.

그러니 이제 당신의 답을 그에게 미루지 말고

당신의 답은 당신이 만들어 가라.

우리 영혼의 메시아는

우리 외에 누구도 될 수 없다.

진리를 훔쳐본 영혼은 더 반짝이는 법이지

어렸을 적 동화나 성경책, 위인전을 읽다 보면 이상한 공통점이 있었다. 주인공은 항상 고비와 시련이 있고, 사람들에게 이유 없이 미움과 시기를 받는다는 사실이다.

'대체 왜 그런 걸까?' 하고 곰곰이 생각해 볼 때가 있었다. 그러다 수업 준비를 위해 갈릴레이에 관한 책을 읽다 문득 이런 생각이 들었다.

진리를 훔쳐본 영혼은 더 반짝이는 법이지

누구도 믿지 않았던 진리를 깨달은 사람의 영혼은 그 빛이 유난히 더 빛난다는 사실을 말이다. 그 빛은 숨기기 어려운 법이다. 그래서 더 눈부시다.

나는 그대가 눈부시다.

기억상실

옛말에 사람이 죽으면 저승사자가 주는 술을 마시고 다시 태어난다고 한다. 술에 취한 사람이 술이 깨면 모든 것을 기억하지 못하는 것처럼 우리는 기억상실에 걸려 태어난다. 그래서일까? 사람만이 '나는 누구인가?'의 질문에 고민하고 고통받는다.

"왜 신은 인간의 기억을 계속 지우고

다시 태어나게 하는 걸까?"

가끔은 '신하고 한번 싸워볼까?' 하고 고민하게 된다.

하지만 이내 질 것만 같아 타협을 내 나름대로 해본다.

"내가 이번 생은 그냥 사는데요.

다음 생은 좀 부탁합시다~"

그대의 영혼은 밤의 별처럼 반짝반짝 빛날 거예요

어떤 말을 해야 할까요?

나는 당신을 모르고 당신은 나를 모르지만,

나는 당신을 사랑합니다.

이 세상에서 가장 보동보동한 말로

당신을 안아주고 싶어요.

그대를 보는 것이 나의 기쁨이랍니다.

때로는 지치고 잠을 이루지 못하는 밤이 많은 그대.

알 수 없는 한숨이 나오고 멍하니 생각에 빠지기도 하고

가슴 한쪽에 무거운 돌을 묶고

물 아래로 가라앉는 것 같을 때

내가 옆에 있다는 것을 잊지 말아요.

꿈에 찾아가서라도 그대에게 꼭 해주고 싶은 말,

그대의 영혼은 밤의 별처럼

반짝반짝 빛날 거예요.

2부

내 영혼

신의 또 다른 언어, 상상력
당신이 무엇을 상상하던
당신이 원하는 대로
당신의 길은 열리게 되어 있다.

새벽 4시

나는 새벽 4시가 되면 일어나 잠깐 멍하게 앉아 생각하는 습관이 있다. 명상이라고 하기보다는 내 마음을 들여다보는 일종의 버릇 같은 것이라고나 할까?

까만 밤을 지나 어스름 밝아오는 공기의 빛깔과 고요한 향기, 그 특별함이 나를 항상 깨어나게 한다. 그리고 나만이 갈 수 있는 상상의 여행을 떠난다. 그 옛날 어린 왕자처럼 말이다.

신의 또 다른 언어, 상상력

당신이 무엇을 상상하던

당신이 원하는 대로

당신의 길은

열리게 되어 있다.

어린왕자

　나는 어릴 적부터 어린 왕자가 되고 싶었다. 가고 싶은 곳은 어디든 가방 하나만 들고 떠나 날이 저물면 밤하늘을 이불 삼아 잠들고 여행 중 만나는 소중한 것들을 기록하며 자유롭게 사는 그런 삶 말이다.

여행 중 만나는 모든 존재를 눈에 담고,

여름에는 뉴질랜드 데카포의 별이 쏟아지는 마을에 가

별이 잠드는 하늘을 보고,

봄, 가을에는 어린 왕자처럼 수많은 별을 여행하며

겨울에는 조그마한 나만의 오두막에 앉아

여행했던 별들의 이야기를 책으로 쓰는 그런 삶 말이다.

내 영혼이 원하는 그런 삶

그래, 그게 바로 내가 원하는 삶이야.

당신은 이번 삶에서 원하는 것을 얻었나요?

　어렸을 적 외가에 대해 남아있는 기억은 하나였다. 알록달록한 조각상과 향냄새 그리고 나를 무척 싫어하셨던 외할머니의 날카로운 눈빛.

　나이가 들어 외할머니가 신을 받아야 하는 신병을 앓고 있으셨다는 것을 알았고, 60세가 넘어 지금은 목사가 된 엄마는 고등학생이었던 나와 어린 동생을 버리고 기도원으로 도망치듯 떠나 돌아오지 않았다.

어두운 자취방에 누워 추위와 굶주림에 절망하면서
그때 나는 신을 원망했고 신에게 물었다.

　　"나, 뭐에요?"

미국의 심리상담학자인 마이클 뉴턴이 쓴 『영혼들의 여행』에는 일시적 죽음을 통해 사후세계를 경험한 7,000명을 대상으로 한 연구 내용이 기록되어 있다.

그들은 종교와 인종은 모두 달랐지만 모두 같은 내용을 말하고 있었는데 하나는 우리 영혼의 가족이 따로 있다는 것과 우리가 다시 환생하기 전 우리가 태어날 삶을 미리 보고 영혼 성장을 위한 지금의 삶을 선택했다는 것이다.

그렇다면 우리는 살면서 이 질문을 해야 하지 않을까?

우연히 내가 보았던 영화의 대사처럼 말이다.

"당신은 이번 삶에서 원하는 것을 얻었나요?"

봄
날

나는 가끔 나의 글이 눈부시다.

내가 쓴 글을 읽다 보면 나도 모르게 벅차오르는 기분으로 눈물이 날 때가 있다. 영혼의 삶이란 그런 것 같다. 타인의 인정보다 내가 보는 내가 눈부시다면 그 충만감으로도 살아갈 수 있는 그런 삶 말이다.

많은 사람이 인정하는 성공한 삶이나 사람들의 부러움을 받는 멋진 삶은 아니지만 내 영혼의 아름다움에 나 자신이 눈부시다면 그때가 나의 봄날이 아닐까?

그래서 오늘이

나의 눈부신 봄날이다.

바다는 비에 젖지 않는다

출가의 시간을 보내는 요즘, 나는 내 인생을 앞으로 어떻게 살아가야 할지 가만히 고민하는 시간이 많아졌다.

바다는 비에 젖지 않는다.

어쩌면 나는 바다와 같은 사람이 되고 싶었는지 모른다. 내가 처한 환경이나 인간관계에 젖어 변해버리는 사람이 아닌 나의 길을 바다와 같이 유유히 헤쳐 나가는 사람 말이다.

그리고 훗날 나에게 이렇게 말할 수 있는 사람이 되었으면 한다.

"너의 인생이 행복으로

가득 찼었다고."

피
터
팬

나는 종종 어른이 되어버린 제자들과 긴 통화를 하며 그리움을 달랜다. 부부 싸움 이야기, 직장 이야기 등 이야깃거리가 끊이지 않다 보니 3시간은 기본으로 전화하게 된다.

오늘 한동안 연락이 뜸했던 제자에게서 연락이 와 한참 수다를 떨 때쯤 문득 제자에게 이런 질문을 했다.

"꼬물이, 너는 어떤 삶을 살고 싶었어? 쌤은 어렸을 때부터 어린 왕자가 되고 싶었어. 웃기지?"

순간 말이 없어진 제자는 한참을 고민하더니 이렇게 말했다.

"선생님, 지금까지 사람들이 비웃을까 말 못 했는데 저는 영원히 늙지 않고 자유로운 피터 팬이 되고 싶었어요."

그 선생에 그 제자라며 우리는 서로가 너무 닮았음에 까르르 웃었다.

"꼬물이, 우리는 어쩌면 어린 왕자처럼

길들여 지지 않은 자유로운 영혼으로 태어난 것은 아
닐까?

그래서 이 지구를 계속 떠나고 싶은가 봐.

우린 원래부터 그런 존재였으니까."

빛의 아이들

인디고...

빛과 가장 가까운 색

2000년대 이후로 등장한 인디고 교육학에서는 1980년 이후에 태어난 아이들을 인디고라 부른다. 기존 세대가 이루지 못했던 인류애, 평화, 사랑을 이루기 위해 태어난 이 아이들은 많은 부분에서 다른 모습을 보인다고 한다.

인디고들은 사람들이 흔히 말하는 일류대학, 대기업의 이름표에 연연하지 않으며, 어떤 조직에도 속해있다는 느낌을 받지 않는다.

　　부모와 싸우고 우울증에 시달리기도 하고 자신의 영적 부모를 스스로 선택한다고 한다. 만약 그대가 인디고의 부모로 선택되었다면 그들이 자신 존재에 대한 시각을 잃지 않도록 세심하게 배려해야 한다.

인디고 영혼의 임무는 오래되고 낡은 것들에 질문하고 도전하며 새로운 길을 창조하는 것,

이들은 영혼의 개척자들이다. 아이들은 높은 자존감을 가지고 태어나며 사회에서 말하는 권위에 엄청난 거부감을 느낀다.

인디고, 빛의 아이들

오래된 영혼

밤의 별처럼 빛나는 별의 아이들이

이제 우리에게 돌아오고 있다.

소울 메이트

요즘 나의 가장 큰 고민.

나의 소울 메이트는 어떤 사람일까? 이번 생에 만날
수는 있을까? 남자일까? 아니면 여자?

만나면 불편함 없이 좋기만 한 사람

종일 이야기해도 또 이야기하고 싶은 사람

같이 있으면 살랑이는 바람처럼 설레고

간질간질한 기분이 드는 사람

나도 모르게 수줍어서 배시시 웃게 되는 사람

서로 멀리 떨어져 있어도 이어져 있음을 느낄 수 있는 사람

그리고 나와 같이 꿈꾸는 눈을 가진 사람

당신이 나의 소울 메이트에요.

3부
ㅁ!!ㅁ인생

사랑하는 자여, 네 영혼이 잘 됨같이
네가 범사에 잘되고 강건하기를 내가 간구하노라.

떨어져야 열매를 맺는다
자존심의 꽃이

아이가 어른이 되어가는 과정에서 몸이 변화하고 성장하듯 사람의 마음도 일정 기간이 되면 성장을 해야 하는 시기가 온다. 그 시기에는 나비가 번데기를 깨고 나오듯이 사람은 기존의 틀을 깨고 성장해야 한다.

나는 인생 출가의 시간을 가질 때마다 어느 신부님이 하셨다는 이 말을 떠올린다.

자존심의 꽃이 떨어져야 인격의 열매를 맺는다.

꽃이 떨어지고 열매를 맺듯이 우리의 성장은 자존심
의 꽃이 떨어짐으로써 열매를 맺는다.

평소 내가 학생들에게 가장 많이 하는 말이 있다.

"선생님이 잘못했네."

교사라는 직업이 누군가를 지도하는 직업이다 보니 쉽게 할 수 있는 말은 아니지만, 나는 학생들에게 이 말을 할 수 있게 되고 나서 교사로서 제대로 성장하게 되었고 한 명의 인간으로서 타인을 진정으로 사랑할 수 있게 되었다. 절대 이해할 수 없었던 엄마를 이해하게 되었고 나의 삶을 사랑하게 되었다.

완벽할 수 없었던 그리고 행복할 수 없었던 나의 삶.

이제야 비로소 나는 나를 사랑한다.

서른쯤

며칠 전 있었던 스승의 날, 서른이 넘은 제자가 보내 온 꽃을 보며 이제는 인생의 친구가 되어버린 제자들이 떠올라 나도 모르게 눈물이 났다. 부슬비가 내리는 창밖을 보며 문득 몇 년 전 제자들에게 했던 말이 생각났다.

"선생님은 너희가 서른쯤 종교를 가졌으면 좋겠어. 인생의 다양한 경험도 해보고 사랑도 하면서 말이야. 너희 인생을 즐기고 나서 종교를 가져도 늦지 않아. 어떤 아비가 자식의 행복을 싫어하겠니? 영혼의 아버지 신이라는 존재도 그걸 바랄 거야. 그게 부모 마음이지."

사랑하는 자여, 네 영혼이 잘 됨같이

네가 범사에 잘되고 강건하기를 내가 간구하노라.

비결

　가끔 사람들은 나에게 교사라는 직업을 오랫동안 할 수 있었던 비결이 무엇인지를 묻곤 한다.

　굳이 비결이라고 한다면 나는 내가 만나는 모든 학생을 오늘 처음 만나는 것처럼 대하고 가르친다. 어제 나를 화나게 한 학생이든 제멋대로 행동한 학생이든 다음 날이 되면 모두 다 잊고 처음 만난 것처럼 반가워한다.

　그리고 오늘을 다시 시작한다.

"그 사람의 깊은 속을 알기 전에 판단하는 것은

어리석은 짓이다."

라는 어느 현자의 말처럼

"그대 오늘 누군가와 관계가 어긋나고

되돌릴 수 없다고 생각하고 있나요?

걱정하지 말아요.

내일 그 사람을 처음 만난 것처럼 웃게 될 거예요.

다 잘될 겁니다."

파
친
코

어느 날 우연히 유튜브를 보다 '파친코'라는 드라마의
짧은 클립을 보게 되었다. 일제 강점기 일본과 미국으로
이주하며 살아간 이민자들의 삶을 그린 내용이었는데
드라마의 주인공인 '선자'가 할머니가 되어 손자 '솔로몬'
에게 이런 대사를 한다.

"사람은 자신 몸의 윤곽을 알고

새로운 세상에서 자신의 영혼을 지키며 살아야 한다."

우리 몸의 윤곽이란 우리가 태어난 땅과 물려받은 유산들 그리고 우리 민족의 얼.

가끔 나는 3.1운동을 학생들에게 이야기할 때 우리 민족이 얼마나 우아한 민족인지를 자랑한다. 누군가 부당한 폭력을 행할 때 폭력으로 대응하기는 쉽다. 하지만 우리 민족은 그 어떤 폭력 앞에서도 우아했다고 말이다.

우리는 그런 민족이다.

마른 들판에서도 피어나는 풀꽃같이 눈물 많았지만,

한없이 우리는 우아했다고 말이다.

꽃같이 어여쁜 그대
언젠가 당신의 꽃이 피어나고
그 향기가 당신의 우주에 가득 차게 되면
그때 서야 알게 될 거예요.

꽃
의
이
야
기

　내 유일한 취미는 '화분 키우기'이다. 특히 많은 꽃을 볼 수 있는 봄을 좋아하는데 올해는 일찍 튤립 구근을 심어 해사한 노란 튤립이 피는 것을 보는 재미에 폭 빠져있다.

　'꽃은 타고난 씨로 꽃만 피우면 된다.'

　는 어느 스님의 말씀처럼 꽃은 타고난 씨로 꽃을 피우는 자기 일을 온전히 해낸다.

사람도 다르지 않으리라. 사람도 결국에는 자신이 타고 난 결을 그대로 피워 내는 것이 태어난 이유가 아닐까?

나는 가끔 피어난 꽃잎의 결을 볼 때마다 신기하면서 도 환한 황홀감에 사로잡힌다. 우리의 인생도 이 꽃잎처럼 피워 낸 결을 우리가 볼 수 있다면 그저 의미 없이 살다가는 인생은 아니지 않을까?

"꽃같이 어여쁜 그대. 언젠가 당신의 꽃이 피어나고

그 향기가 당신의 우주에 가득 차게 되면

그때 서야 알게 될 거예요.

당신이 어떤 존재인지."

나의 임숙씨에게

"임숙 씨. 밥 먹었어?"

얼마 전부터 나는 엄마를 엄마의 이름으로 부르기 시작했다. 누군가는 말했다.

진정한 어른이 된다는 것은 타인이 나의 의도대로 움직일 수 없음을 무력감 없이 받아들이는 것이라고. 그리고 타인을 존재 그대로 받아들이는 것.

내 인생에 있어 가장 이해하지 못했고 나에게 가장 많은 상처를 준 사람. 나는 당신을 받아들이기로 했다. 그리고 이 세상에 나 자신을 온전히 맡기고 기댈 곳은 없다는 사실도 이제는 인정한다.

"나의 임숙 씨, 나는 당신의 삶을 이제 받아들이기로 했다오.

당신도 당신의 사정이 있다는 것을.

내 생각과 의지대로 바꾸지 않고 순수하고

여린 임숙 씨를 그대로 사랑하기로 했소.

조금은 촌스러운 머리 스타일과 자식 걱정밖에 안
하는 당신.

사랑하오."

선생님이 아끼는 거 알지?

기간제 교사를 처음 시작했을 무렵 경력이 별로 없었던 나는 집에서 3시간을 차로 가서도 40분이나 배로 더 들어가야 하는 섬마을 분교에서 두 달간 근무한 적이 있다. 자유분방하고 시골스러운 내 성격에 너무 찰떡으로 잘 맞아 즐거운 학교생활을 했고 보드랍고 눈물 많은 아이들과 행복한 날들을 보냈다.

그런데 그중 유독 눈에 띄는 한 여학생이 있었다. 피부병으로 항상 붉어진 얼굴과 눈치 보는 모습에 신경이 쓰였지만, 함부로 다가가 위로하거나 감히 조언하지 않았다. 그 대신 내가 근무하는 동안만이라도 많이 웃을 수 있게 웃겨주고 웃어주었다.

그리고 마지막 수업 하루 전날, 편지에 어떤 말을 써줄
까, 고민하다 너무 쉽게 사랑한다는 말이 조심스러워 써
준 한마디,

"선생님이 아끼는 거 알지?"

그날 나의 제1호 꼬물이는 하루 종일 울었다.

계약된 기간이 끝나고 다시 집으로 돌아와 일상에 찌들어 교사를 포기하고 싶을 때쯤 갑자기 영상통화가 한 통 걸려 왔다. 생전 처음 보는 뽀얀 얼굴에 짧은 머리를 한 어여쁜 아가씨였다.

"누구세요?"

"선생님 저 꼬물이에요!!! 저 살도 30kg이나 빼고 남자친구도 생겼어요. 다 선생님 덕분이에요!! 선생님 만난 이후로 저 많이 변했어요. 정말 감사합니다."

그때는 너무 놀라 제대로 이야기 못 했지만, 지금이라
도 꼭 하고 싶었던 말,

"쌤이 더 고마워. 교사를 포기하고 싶을 때마다

네가 버팀목이 되어줬어. 잘살고 있지?

인생의 고비가 올 때 네가 누군가에게는 살아갈 이유
였음을

꼭 기억해 줘. 사랑한다. 꼬물이."

나의 인디고.
너희는 밤하늘의 별처럼 반짝반짝 빛나게 될 거야.

껍데기

요즘 내가 한창 빠져있는 드라마가 있다.

'나의 해방일지'

이 드라마에 나오는 구 씨 캐릭터가 여성 시청자들 사이에서 인기지만, 나는 여자 주인공 미정이를 더 좋아한다. 드라마에서 미정이가 조용한 목소리로 이런 대사를 한다.

"인간은 다 연기하는

허수아비 같아요."

본질은 피하고 껍데기만을 보는 허수아비.

가끔 사람들과 이야기하며 느끼는 지독한 외로움은 본질은 이야기하지 않고 껍데기만을 보는 것에서 오는 깊은 고독감이었다. 우리의 고통은 어쩌면 미정이의 대사처럼 본질은 피하고 껍데기만을 보는 것에서 오는 것은 아닐까?

껍데기처럼 주어진 삶이 아닌 진정한 나의 삶을 그리고

나의 운명을...

인디고 (Indigo)

　멀리 고향을 떠나 간호사가 된 제자에게서 한밤중 연락이 왔다. 내가 보낸 책이 도착했다며

"쌤! 왜 책을 보는데 자꾸 눈물이 나는지 모르겠어요.

자꾸 눈물이 나요."

순간 울컥한 마음에

"너희를 위해 쓴 책이니까. 너만을 위해 썼으니까."

그리고 제자는 한참을 울다가 전화를 끊었다.

나는 나의 제자들을 꼬물이 또는 인디고라 부른다. 2000년대 이후 주목받았던 인디고 교육학에서는 1980년대 이후 태어난 아이들을 '빛의 아이들'이라는 의미로 인디고라 부르며 기존 세대와는 영적, 유전적으로 완전히 다른 존재임을 시사한다.

"나의 인디고. 이 우주에 홀로 있는 듯

사라지지 않는 외로움과

쉽게 잠들지 못하는 불면증은 우리의 숙명이지만

너의 존재로 인해 온 우주가 기뻐한단다.

나의 인디고. 너희는 밤하늘의 별처럼 반짝반짝

빛나게 될 거야."

순수

20년 교사 인생에 있어 가장 큰 기쁨이 뭐냐고 묻는다면 나와 한번 인연을 맺은 학생들과 오래도록 연락하며 대학생이 되고 직장을 다니며 결혼하는 인생의 길을 함께 하는 것이다. 지금에 와서 곰곰이 생각해 보면 어린아이와 같은 나의 성격이 학생들에게는 쉼터 같은 것이 아니었을까 생각해 본다.

순수함을 잊은 마음은 누구에게도 감동을 줄 수 없다.

'사심이 없어야 짐승도 따른다.'라고 하신 법정 스님의 말씀처럼 아이들은 어른보다 좀 더 본능적이고 야생에 가까운 마음을 가지고 있다. 그래서 사심 없이 자신을 좋아하는 마음과 그렇지 못한 마음을 쉽게 구분한다.

인기가 높았던 드라마 캐릭터들도 보면 신기하게도 그 안에 '순수'가 있음을 알 수 있다. 939살 장난꾸러기가 주인공인 '도깨비' 같은 드라마처럼 말이다.

학생들 손을 잡고 소풍 가듯 교실에 들어가고, 수업 중 궁금증을 최고조로 유발한 뒤 답을 알려주지 않고 수업 끝내기 그리고 시험 기간이면 머리를 감지 않아 초췌한 학생들을 놀리며 개구쟁이처럼 시험감독을 했다.

　팍팍한 세상살이에 그런 '순수함'들이 있어 우리가 그나마 숨 쉬며 살아갈 수 있는 것이리라. 어쩌면 우리는 그 '순수함'을 잃어버렸기에 길을 잃어버렸는지도 모른다.

어린아이와 같은 마음을 가진 자가 천국에 들어간다는 어느 성인의 말씀처럼 우리는 이제 그 '순수'를 다시 찾아야 할 때가 아닐까?

나의 지음(知音)에게

　나에게는 나이 차는 많이 나지만 지음(知音)처럼 마음을 나누는 후배 교사가 한 명 있다. 한번 만나면 시간 가는 줄 모르고 이야기꽃이 피어 한밤중이나 되어서야 헤어지는 사이라 우리는 서로 만날 날을 손꼽아 기다린다.

　우리는 이미 오래전 영혼이 알았던 것처럼

　서로를 알아보았다.

새 학기가 시작되고 시간이 맞지 않아 보지 못했던 날들 끝에 드디어 만난 날. 우리는 병아리 유치원생들처럼 재잘거리며 서로의 이야기에 까르르 웃었다. 내가 출가의 시간을 갖고 인생을 되돌아보겠다는 말을 꺼내니 깜짝 놀란 눈으로 후배가 말했다.

"선생님은 언제나 단단한 바위 같은 줄 알았어요."

토끼 같은 눈으로 순하게 나를 바라보는 선생님의 표정에 나도 모르게 웃음이 나왔다.

"나의 지음(知音)에게,

그대가 나를 신이 보내 준

천사라고 부를 때마다

나는 그대가 천사가 아닐까, 생각한다오.

이 각박한 세상에 그대 같은 사람이 또 있을까?

내 마음을 알아주는 그대가 있어

난 참 복 받은 사람이라고 몇 번이고

감사하게 된다는 걸 그대는 알까?

그대가 있어서 다행이야. 정말."

아빠가 사라졌다

두 번째 원고를 대략 50번째 검토하던 중 어느 꽃다운 선생님의 죽음이 소식으로 들려왔다. 같은 교직에 일하고 있는 교사로서 이루 말할 수 없는 슬픔이 몰려왔다. 그리고 이 소식을 들은 모든 사람의 머리에 떠올랐을 그 질문

왜 이렇게까지 됐을까?

한국 사회에서 아빠가 사라졌다.

한국 사회에서 아빠의 존재가 사라졌다. 기준을 정해
주고 보호해 주며 책임을 지는 존재가 교육환경에서 사
라진 것이다.

어느 날 수업 시간에 게임을 하는 학생을 지도해달라
는 요청이 들어왔다. 잔소리하지 말라는 듯한 학생의 눈
빛과 건들면 가만있지 않겠다는 태도를 보며 나는 이렇
게 이야기했다.

"불안하지? 무섭지?"

순간 당황한 아이의 눈을 똑바로 보고 나는 말했다.

"학교는 너희를 사랑으로 가르치는 곳이 아니다. 교사로서 너희를 사랑하지만, 학교는 네가 지식을 깨우치고 한 사람으로서 성숙해 나가는 과정을 배우는 곳인 것을 구분해야 한다."

"공포는 그 대상이 있지만 불안은 그 대상이 없어. 네가 지금 느끼는 불안은 네 인생에서의 기준이 사라졌기 때문이야. 사람은 누구나 자신이 처한 환경에서 어느 한 곳에 뿌리를 내리고 있어야 한단다. 다정한 친구, 공부를 열심히 하는 학생, 착한 딸. 네가 어느 한 영역에서 뿌리를 내리고 인정받지 못한다면 네 인생은 계속 불안할 수밖에 없는 거야."

"정서불안이라고 상담받는다고 해결되더냐? 이제 뿌리를 내리거라. 그리고 네 안에 기준을 세우고 이제 너도 편안해져야지."

그리고,

아이의 방황은 끝이 났다.

거꾸로

    교사들 사이에서 '선생질 20년 하면 반 점쟁이가 된다.'라는 말이 있다. 이 말은 주로 '사람 보는 눈이 예리하다'라는 뜻으로 해석되는데 나는 좀 다르게 생각한다. 이 말은 '마음의 눈으로 사람을 볼 수 있게 된다'라는 뜻이다.

    '선생님 미워요'라는 말이 '나는 선생님이 좋아요'라고 들리고 '선생님 오늘 옷 별로예요'라는 말이 '나는 선생님과 친하게 지내고 싶어요'로 들리기 때문이다. 모든 것이 거꾸로 들리기 시작하면 그 존재를 사랑하지 않을 수 없게 된다.

'시집은 언제 가니?'라는 엄마의 걱정이 '네가 기댈 수 있는 버팀목이 있었으면 좋겠다.'라는 말로 들리고 '난 괜찮아'라는 친구의 말이 '나 좀 안아줘'로 들릴 때 마음의 눈으로 거꾸로 보면 모든 것을 사랑하게 된다.

모든 것은 아는 만큼 사랑하게 된다.

까
르
르

교무실 내 맞은편 옆자리에는 내가 제일 좋아하는 선생님이 한 분 계신다. 개구쟁이인 나는 은근히 수줍고 사랑스러운 이 선생님을 어떻게 하면 놀릴 수 있을까 고민하다 뜬금없이 포옹하고 까르르 웃는다. 나보다 15살이나 더 많은 어른을 놀린다고 혼을 내실 수도 있으실 텐데 내가 그럴 때마다 순한 얼굴로 배시시 웃어주신다. 아마 당신도 그 미소를 본다면 사랑하지 않을 수 없을 것이다.

인간관계란 참 이상하고도 오묘하다. 알아 온 기간이나 호구조사 따위는 필요 없으니까. 우리의 친밀함은 영혼에 이미 새겨진 것처럼 자연스럽고 당연하다. 나는 당신을 사랑한다.

나의 은근히 수줍고 사랑스러운 사람아!

우린 전생에 잉꼬부부였나보다.

까르르

세상의 모든 것이 나를 공격한다

나에 대한 자신감을 잃으면

오늘 먼 곳으로 시집을 갔던 제자에게서 연락이 왔다. 작은 꼬물이가 언제 벌써 커서 시집을 갔나 싶은 반가운 마음에 카페에 앉아 신나게 수다를 떨었다. 한참 이야기꽃을 피우다 제자의 눈에서 눈물이 똑 떨어지기 시작했다. 가끔 제자들은 결혼도 안 한 나에게 결혼 생활을 상담하러 온다. 결국, 결혼도 인간관계의 연장선이기에 조언이 필요했으리라.

나에 대한 자신감을 잃으면

세상의 모든 것이 나를 공격한다.

당차고 무슨 일이든지 대범하게 넘기던 나의 자랑스러운 제자의 모습은 없어지고 시댁과 남편 그리고 주변 사람들의 눈치를 보고 있는 쫄보가 되어 나타난 것에 눈물이 쏙 빠지도록 혼을 내놓으니 조금은 진짜 나의 꼬물이로 돌아와 있었다.

　　'나다움'을 잃어버린 마음은 면역력이 없다. 주변 사람들이 하는 모든 말에 생채기가 나고 결국에는 나와 주변 사람에게 어떤 시도도 하지 못하게 되는 상태가 되어버리는 것이다.

나다움을 해치는 모든 것으로부터 나를 지키는 '전투력', 해로운 세균과도 같은 말들과 시선을 튕겨 낼 '방어력'

택시를 타고 집으로 돌아가는 제자가 카톡에 남긴 한마디,

"쌤 저 오늘부터 전투태세에요! 이기고 올게요."

역시 나의 제자, 나의 꼬물이다.

조금 오래전 나에게

나는 겨울을 싫어한다. 웃풍이 심한 단칸방에서 보낸 어린 시절 자취의 고단함, 홀로 방안에 웅크린 채 이불을 뒤집어쓰고 내 존재가 시간과 함께 사라져 주길 간절히 기도했다.

'아픈 만큼 성숙한다.'라는 말. 거짓말. '사람은 아픈 만큼 파괴된다.'

조금 오래전 내 소원은 딱 30살까지만 사는 것이었다. 그런데 이제 어느덧 40을 바라보는 나이에 서서 조금 오래전 나에게 말하고 싶다.

"미안해 내가 너무 오래 살았네? 약속을 못 지켰어. 살다 보니 또 살아졌나 봐. 근데 이왕 사는 것 우리 뭐든지 해보지 않을래? 무모한 글쓰기도 도전해 보고 무서운 상사한테 친한 척 당돌하게 말도 해보자. 뭐 때리기야 하겠어? 이제 웃풍 심한 단칸방도 바퀴벌레도 없고 따뜻한 물도 잘 나오잖아. 우리 좀 더 살아보자. 내가 잘할게."

이상한 아이

어렸을 때의 기억은 별로 없지만 나는 좀 이상한 아이였고, 가족들은 지금도 나를 신기하게 생각한다. 언니들이나 동생은 그래도 부모님의 기대나 사회적 기준에 어느 정도 맞추며 살지만, 나는 그 테두리를 완전히 벗어나 있는 딸이기 때문이다. 조용하다가도 강렬하게 말하는 아이였고 혼자 있는 것을 무서워하지 않았다.

옷을 자꾸 벗고 다녀서 엄마가 걱정을 좀 하셨지만 대체로 보수적이고 눈이 맑고 웃음 많은 아이로 자라 온 것 같다. 가끔 어른들이 너는 아직 철이 덜 들었다고 말하지만 말이다.

주어진 삶을 흘러가는 대로 사는 사람들 사이에서

자신의 삶을 용기 있게 살아가는 사람은

그 빛을 숨기기 어려운 법이지.

이상한 사람들

　내가 고등학교를 입학한 시기부터 우리나라에 청소년 왕따 문제가 심각해 사회문제로 대두되었고, 왕따라는 용어도 그때 생겨났던 것으로 기억한다. 물론 이상한 아이였던 나도 왕따였다. 내가 우리 학교 1호 왕따로 누가 신고를 해서 교무실에 불려 갔었던 기억은 아직도 내 마음에 남아있어 가끔 생각이 난다. 그런데 지금 생각해 보면 한정된 공간에서 한정된 사람들과 매일 부딪치며 경쟁하는 미성숙한 존재들이 가득한 학교에서 학생들은 저마다 자신을 보호하고 표적이 되지 않기 위해서 공공의 적을 만들기도 하고 자신이 공공의 적이 되기도 했었던 것 같다.

나는 17살부터 생계를 책임지고 살았고, 사실 그런 이상한 사람들을 신경 쓸 만큼 제정신으로 살지 못했기에 사람들로부터 내가 생채기가 나 사람을 믿지 못하는 불구가 되었다는 것을 알지 못했다. 그래도 좋은 점은 있다. 극심한 사춘기를 겪고 어른이 된 나였기에 왕따를 조장하고 방조하는 학생들에게 두려움 없이 이야기할 수 있다는 것이다.

"너희 선배들과 어른들이 그렇게 살았다고 너희들도 꼭 그렇게 살 필요 없다. 잘못된 것을 잘못되었다 말하지 못하는 겁쟁이들처럼 살지 말고 옳은 것을 위해 용기 있게 나서라!"

왕따로 오해받는 이 세상 모든 별에게

그대는 잘못되지 않았고 누구보다 빛나는 사람이다.

그리고 그대는 아름답다.

그러니 지지 말고 땅 위에 두 발로

꿋꿋하게 서라.

인생의 정답

주어진 삶을 흘러가는 대로 사는 사람들 사이에서 자신의 삶을 용기 있게 살아가는 사람은 그 빛을 숨기기 어려운 법이지.

그런 사람들은 왕따가 되기도 하고 4차원이라 놀림을 당하기도 한다. 다르게 생각하고 다르게 사는 것이 이상한 걸까?

나는 어렸을 때부터 늘 외로웠던 것 같다. 사람들이 갈구하는 것들이 별로 탐나지 않다 보니 도도하다는 소리도 많이 들었다. 결혼식장에 갈 때마다 자신을 빛내줄 명품 가방, 명절마다 물어오는 친척들을 방어해 줄 정규직, 친구 모임 때마다 빠지지 않는 아파트 이야기.

예전에는 내가 이상한가 싶어서 따라 좋아하는 척도 해봤는데 이제는 세상이 소중하게 생각하는 것을 버리고 나로 살기로 했다.

상사를 신경 쓰지 않는 당당함, 약한 자를 위하는 부드러운 마음, 자신의 감정에 솔직한 태도. 가장 고귀하게 태어나 가장 비천하게 살다가는 인간의 삶이지만 가장 나답게 사는 것. 지금에서야 내가 알게 된 인생의 정답.

당신의 자유롭고 당신다운 삶을 내가 응원한다.

기
회
비
용

TV 보다가 잇몸 마르겠다. 남이 하는 사랑이 뭐가 그리 좋다고! 한동안 멍하니 생각하다 책상 위에 아무렇게 널브려 놓은 책에 까맣게 칠해진 글자가 눈에 띈다.

기회비용

내가 선택하며 포기한 것의 가치

나의 선택에 대한 가치는 얻은 것이 아닌 포기한 것으로 알 수 있다. 사람은 안정감 또는 만족감을 느끼기 위해서 연애 또는 결혼한다고 한다.

하지만 사랑의 본질은 희생

나는 너를 위해 무엇을 포기했을까?

나는 너를 정말 사랑했을까?

봄

봄이 되면 감추었던 복숭아뼈를 드러낼 수 있어 좋아! 내 발에 닿는 따뜻한 햇볕과 바람 살결, 햇살에 살짝 익은 풀냄새, 양말을 벗고 가벼운 신발로 길을 걷는 동안 열 번은 말하게 되는 한마디,

"그래 행복이 뭐 별건가?

오늘 참 행복하다."

봄을 기다리며 화분에 심은 튤립이 싹이 나고 꽃대를 내는 모습을 보는 것도, 봄날의 기분 내보겠다고 사놓은 샤랄라 블라우스도 그래 내가 살고 싶었던 삶은 이런 거였어.

봄처럼 자유롭고 소박하고 따뜻한 그런 삶

나의 마음도 복숭아뼈처럼 수줍고 따스하게 드러나기를

오늘도 바라본다.

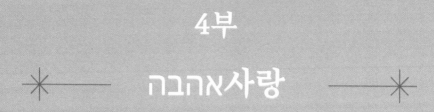

4부

אהבה사랑

너라는 존재의 안도

사 랑

25살 이후 지금까지 나는 연애를 쉬고 있다. 대략 15년 정도를 혼자 살다 보니 나를 스님이라 놀리는 친구들도 있다. 다양한 이유가 있었겠지만 내가 이번 생에서 가장 어려워하는 감정이 바로 남녀 간의 사랑이다.

영화 '인터스텔라'에 보면 오직 사랑만이 시공간을 초월해서 유일하게 인지된다는 말이 나온다. 순간의 감정이나 애정이 아닌 시공간을 초월한 유일한 사랑 말이다.

이 우주에 존재하는 별들은 대부분 쌍성으로 태어난다. 어쩌면 나는 내 잃어버린 쌍둥이별을 찾고 있는지도 모르겠다.

"어딘가 태어났을 나의 쌍둥이별인 그대도

나를 그리워하고 있지 않을까?

수많은 사람 중 나를 알아봐 준 사람

힘들 때 내 삶의 여백을 믿어 준 사람

당신이 아닐까?

나의 그리움이"

너라는 존재의 안도

텅 빈 집에 앉아 혼자 있는 시간을 좋아해요.

외로움과 고독이 나의 오랜 친구랍니다.

이 메마른 시간을 오래도록 기다릴 수 있는 이유

너라는 존재의 안도

당신이라는 존재로 인해 내 남은 인생의 문을

설레는 마음으로 기다리게 된다는 것을 아나요?

나는 당신이 천사인 줄 알았어요. 우린 꼭 만나게 될
거예요.

너라는 존재의 안도

에
필
로
그

신은 가끔 아주 보잘것없어 보이는 존재를 택해 그들의 눈으로 세상을 보고 기록한다. 언젠가 보았던 영화의 필름처럼 말이다. 세상이 얼마나 어두워졌는지 등불인 그들로 어둠을 측량한다.

그들은 신이 보낸 관찰자이자 측량하는 도구

세상이 추구하는 물질적인 것에는 관심이 없으며 알 수 없는 공허함과 불면증에 시달린다. 아무리 노력해도 세상에 물들어지지 않는 그들의 순수함은 죄책감이라는 장애물로 고통받기도 한다.

이 글은 그들을 위해 쓰는 나의 위로이자 세레나데

당신이 어떤 종교를 믿던

어떤 별에서 왔던

나의 푸른 별 그대를 응원한다.

나는 그대를 안다.

그리고 그대 안의 신에게 내가 인사드린다.

별의 도서관

신으로서 당신을 찾기 위한 에세이

발행일 2024년 4월 23일

지은이 | 파랑
펴낸이 | 마형민
기　획 | 이동엽
디자인 | 김안석
편　집 | 임수안 김현주
펴낸곳 | (주)페스트북
주　소 | 경기도 안양시 안양판교로 20
홈페이지 | festbook.co.kr

ISBN 979-11-6929-484-3 03810
값 15,000원

* (주)페스트북은 '작가중심주의'를 고수합니다. 누구나 인생의 새로운 챕터를 쓰도록 돕습니다. Creative@festbook.co.kr로 자신만의 목소리를 보내주세요.